KB096569

네 덕분에 쓴 시

To. _____

From. _____

언제부터 였는지는
기억은 안 나지만
아마도 너와 끝나고부터
였겠지

누구나 살아가면서 사랑을 하고
이별을 한다
나 또한 사랑을 해봤고 이별도 해봤다

심지어 이별의 아픔이 크면
사람이 얼마나 추해지는지도
몸소 느껴 봤다

이별을 통해 사람이 변해가고
성숙해진다
때론 새로운 꿈, 목표가 생기기도 한다.

차례

1부 사랑

2부 나의 시

3부 짝사랑

1부

사

랑

목도리 의미

내 마음 가득
선물 상자에 담아
따뜻한 목도리 하나
예쁘게 포장해 본다

선물이지만 보내는 내 마음이 더 설레
마치 내가 선물 받는 이 느낌
오묘하다.

10월에 목도리를 선물하는 이유

"당신을 제 마음속에 두고 있어요."

윤슬

윤슬같이 이쁜 너
너는 이쁘고 흐르기만 해

내가 태양이 되고 달이 되어
널 비춰줄게

그게, 너에 대한 내 사랑이야.

해변

붉게 물든 노을을 빤히 보고 있어 부끄러운지
오늘따라 빨리도 숨는구나

해가 지는 황혼 무렵
물들어 가는 하늘을 보며
너와 걷고 있으니

모래 알갱이들이
내 발가락 사이사이에 들어와 간지럽듯
내 마음도 간지럽다

어느덧
안개가 자욱한 새벽이 오고
반짝반짝 거리는 등대가
마치 너 같구나
내 마음이 방황할 때
뱃길을 알려주는 등대처럼

내 마음의 길을 인도해 준 네가
등대다

이제 그만 비춰주어도 된다
이미 네 마음에 도착했으니.

이쁜 것

반짝이는 소리
일렁이는 달빛
눈부신 윤슬
아름다운 너

그것을 다 좋아하는 나.

안겨준 봄

겨울이 된 날
봄으로 바꾸어 준 너

분홍빛이 찬란한
너의 사랑 덕분에
사랑이란 나무가 자라
행복이란 벚꽃이 피었다

고맙다
내게 봄을 안겨주어서.

일상 속에

커피 한 잔의 여유 속에
네가 있었으면 좋겠다

책 한 권의 여유 속에도
네가 있었으면 좋겠다

그냥 내 일상에
네가 있었으면 좋겠다.

좋은 날

맑은 하늘
새하얀 구름
따뜻한 온기
따스한 햇살
흩날리는 벚꽃까지

딱 너를 사랑하기 좋은 날이다.

걱정=사랑

잠은 잘 잤는지
비가 오면 우산은 챙겼는지
날씨가 추우면 따뜻하게 입었는지
저녁때가 되면 밥은 먹었는지

항상 걱정되는 사람

온종일 너만 걱정하는 걸 보니
걱정은 사랑에 비례하나 보다.

이유 없는 사랑

"사랑한다."

이젠 이유 없이 너를 사랑한다

좋아하는데 이유가 있으면 존경이고
좋아하는데 이유가 없으면 사랑 이랬다

난 이제 널 좋아할 이유는 없지만
좋아하는 이리도 감정은 크니
난 널 사랑한다.

보고 싶다

술 마시면 보고 싶고
눈을 뜨면 보고 싶고
헤어지면 보고 싶다

그냥 매일매일 보고 싶다

내 곁에 오래오래 있어 주거라
더욱 오래 보고 싶으니.

바람

너와 함께 이 긴 여름을 보내고 싶어

서로 땀 흘리면서 매운 음식도 먹고
시원한 맥주에 공포 영화도 보고 싶어

비 오는 날엔 어린아이처럼 우산 없이
놀다가 따뜻한 우유 한 잔 마시는
그런 여름을 보내고 싶어.

빛

태양에게 빛을 받아
어두운 세상을 조금이나마
밝게 비춰주는 달

너에게 빛을 받아
어두웠던 미래가
밝아진 나

고맙다 나의 태양이 되어 주어서.

봄, 가을

나는
추위와 더위가 오고 가는 계절 사이에
쌀쌀한 계절과 따뜻한 계절이 더 좋다

온도는 비슷하지만
온기는 다른
봄과 가을

쌀쌀하지만 붉게 물든 계절
따뜻하지만 분홍빛으로 물든 계절

너와 함께라면 어느 쪽이든 좋다.

넌

넌 참 봄 같은 사람
넌 날 따뜻하게 해주는 사람
겨울같이 추운 실연 끝에
벚꽃같이 이쁜 네가
봄처럼 따뜻하게 찾아와 준 넌

내게 봄이야.

전하고픈 말

따뜻하게 입어라
감기 걸린다

잘 챙겨 먹어라
건강해야 된다

사람 조심해라
사람은 믿는 게 아니다

너무 늦게 들어가지 마라
걱정된다

고양이 조심해라
널 너무 쉽게 꼬신다

좋아한다
진심이다.

단 한 사람

날씨가 좋은 날
떠오르는 단 한 사람

맛있는 걸 먹으면
떠오르는 단 한 사람

내가 힘들면
달려오는 단 한 사람

너무 보고 싶은 내 사랑.

하나뿐인 사랑

항상 내 곁에 있어 주는 그녀가
너무 고마워 사랑으로 보답한다

눈에 보이지는 않지만
손으로 만질 수는 없지만
마음으로만 느껴지는
단 하나 밖에 없는 사랑

매일매일 자라는 사랑
오직 그녀 한 명에게만
줄 수 있는 사랑.

못

누가 맑은 하늘에 이쁜 구름을 박아 놓았을까
참 이쁘기도 하다

누가 맑은 네 눈동자에 별을 박아 놓았을까
너무 이쁘기도 하다

누가 내 눈에 너를 박아 놓았을까
어딜 봐도 너만 보인다.

궁금

잔잔한 호수에
돌멩이 하나 던져 본다

작은 파동이 일렁인다

잔잔한 내 마음에
네가 들어왔다

아주 큰 파도가 일렁인다

잔잔했던 내 마음이
이렇게 요동칠 줄이야

너는 뭐길래 내 마음을
움직이게 할 수 있는 걸까

참 궁금한 사람이야.

우산

우산을 하나 펼쳐
너와 같이 쓴다

우산은 2개지만
내 어깨가 다 젖고 있지만
네가 비 한 방울이라도
맞는 게 싫어
너와 조금이라도 붙어 있고 싶어
우산 하나로만 견뎌본다

가까이 붙어 있으니
내 심장 소리인지
네 심장 소리인지
내 귀까지 들리는 거 보니
우리 둘 다 부끄러운가 보다

난 부끄러운 것보단
행복한 감정이 더 크다

별

어두운 밤하늘에
너와 같이 반짝이는 별

어떻게 이 순간 너를 안지 않을 수 있겠니

그리운 바람을 기다리다
사랑이 깃든 숨을 마시면
내 머릿속엔 온통 너로 가득해져

해를 감춰야 보이는 달이
왜 너에게서 보이는 것이냐

너는 왜 밝고, 사랑스러운 것이냐.

너만 보여

눈부신 햇살 아래
눈부신 너

흩날리는 벚꽃 사이에
이쁜 너

흰 눈 사이에
따뜻한 너

내 품 안에 있는
사랑스러운 너

너 밖에 보이질 않는다.

사랑은 아직

너를 보니

일렁이는 내 마음
울렁이는 내 속
이르고 싶은 내 속마음

이게 좋아하는 감정이란 것인가.

너의 한 마디

"잘 자"
한 마디에
잘 잘 수 있을 거 같고

"잘 잤어?"
한 마디에
잘 못 잤어도 잘 잔 기분이고

"맛있게 먹어"
한 마디에
맛있게 먹을 수 있을 거 같고

"오늘 하루 고생했어"
라는 말을 들으면
오늘 하루 한 것이 없어도 뿌듯하다

너의 한 마디 한 마디가 내겐
하루의 시작과 끝이다.

외면, 내면

나의 사랑이

네 외면에

사랑이 가득 묻어 있고

네 내면에

사랑이 가득 묻혀 있다

그 사랑은 모두
내 깊은 심연 속에서 나온 진심이다

부디 어디 흘리지 말고 다녀라

그 사랑은 너 밖에 받질 못할 테니.

따뜻한 것들

너를 만나러 간다

혹여나 네가 춥다고 할까 봐

따뜻한 목도리 하나
두르고
따뜻한 핫팩 하나
쥐고
따뜻한 캔 커피 하나
들고

너를 만나러 간다

네가 손끝 하나 추운 게 싫어
세상 따뜻한 마음도 챙겨 간다.

잔소리

날씨가 추워지니
따뜻하게 입어라

해가 짧아지니
어서 들어가라

내가 너를 좋아하니
알아주라.

건네는

아름다운 꽃 한 송이 꺾어
아름다운 너에게 주고 싶다

반짝이는 별 하나 따서
반작이는 너에게 주고 싶다

따끈따끈 해진 이 마음을
따뜻한 너에게 주고 싶다.

일상

좋아한다
매우 많이 좋아한다

항상 매일 네게 연락하고
항상 매일 네 생각 하고
항상 매일 네 걱정을 한다

그냥 내 일상은 네가 되었다.

그림

눈 뜰 하루하루가 기다려졌다
그리 같았던 네가
오늘은 어떤 그림이 될까

온통 새 하얀 눈에 덮인
하얀 세상처럼 흰 도화지에

따뜻한 선 하나하나가 생겨
사랑이란 그림이 그려졌다.

4글자

"수고했다."
"고생했다."

별 볼 일 없는 4글자가
내게 왜 이리 힘이 되는지
알다가도 모르겠다

"좋아한다."
"사랑한다."

별 볼 일 없는 4글자가
내 마음을 움직이게 하는지
알다가도 모르겠다.

커피 한잔

커피 한 모금의 여유 속에
네가 있음 얼마나 좋을까

일어나서 따뜻한 모닝커피 한잔
점심 먹고 시원한 커피 한잔

건전하게 너와 커피 한잔하고 싶다.

카페

눈부신 햇살이 뜬
나른한 오후에
너와 가는 카페

노래가 나오지만
분위기는 고요한
카페

너와 수다를 떨면
이 카페엔 우리 둘만 있는 거 같다

신나며 잔잔한 팝송이 백색소음처럼
네 이야기에 더 집중되고

갈색 나무가 뒤에 있어
네 얼굴에 더 집중된다

카페

커피와 네가 있는 곳

카페

내가 가장 좋아하는 곳

카페

너와 같이 있고 싶은 곳.

봄이란 계절

상처가 많은 나를
상처 땜에 얼어붙은 내 마음을
사랑의 온기로 녹여주던 너

네 사랑의 온기 덕분에
내게도 봄이란 계절이 왔다

아직 겨울이지만
마음만은 봄.

네 생각 2

봤지만 또 보고 싶다
내일도 보고 싶고
매일 보고 싶은 사람

내 눈에 계속 아른거려
또 보고 싶은 사람

무엇을 하고 있을지
항상 궁금한 사람

밥은 먹었는지
걱정되는 사람

지금 이것을 보고 있는
'너'

비로소

축축한 빗길을 지나
차가운 눈길을 지나
고난과 역경을 견뎌
세월이라는 피할 수 없는 것이 지나
성숙이라는 보상을 얻고

비로소 네게 도착하겠다.

2부

나

의

시

녹는다

눈이 녹아 물이 되듯
내 마음이 녹아 물이 됐다

얼어 버릴 듯했던 심장이
너무 차가워 만지는 게
두려웠던 내 마음이
너를 만나 녹았다.

눈사람

추운 겨울날
쓸쓸히 혼자 있는 눈사람

혼자 있는 모습이 짠해
목도리 하나 걸쳐준다

눈사람아
봄이 오면 녹아 없어지거라
그것이 너의 평온이고 행복일 것이다.

은둔

새하얀 눈으로 덮인 길
뒤를 돌아보니 쓸쓸한 발자국이 보이고
투명한 빙판엔 초라한 내 모습이 비친다

눈아 더 많이 내리거라
더 많이 내려
내 쓸쓸한 발자국과
초라한 날 비춰주는 빙판을 가려 주거라

올겨울 내 마지막 소원이다.

흰 눈

흰 눈이 펑펑 내리던 어느 날
펑펑 울고 있는 날
새하얀 눈길 위에
슬픈 발자국만 남기고 떠나간 너

겨울이 지나 봄이 오듯
따뜻한 봄이 되어 다시 돌아와라
눈사람보다 차가운 사람아

그때까지 이 시린 시련을 견디고 있겠으니.

겨울

넌 어쩜 웃는 모습이 그리 슬픈 거니
세상 빛을 다 가졌음에도 어두워 보이니
따뜻한 이불 속에 있는데도 추워 보이니

아..

거울이구나..

핑계

핫팩 하나 쥐고
덜덜 떨며 힘들게 도착한 곳은
다름 아닌 너의 집 앞

보자는 게 아니다
나와달라는 게 아니다

그냥 우연을 가장한
만남이 있길 바라는 것일 뿐이다.

첫눈 소망

첫눈이 내리는 날에
너를 보러 가고 싶다

너와 첫눈을 맞으며
사랑을 약속하고 싶다

그만큼의 낭만이 또 어디 있겠는가

물론 내 바람이고 내 소망이지만.

초겨울

햇살은 따뜻하지만
온기는 차가운
초겨울

오늘도 너를 쓰기 위해
카페로 걸어간다

걷는 도중 나뭇가지에서만 보이던
낙엽들이 이젠 바닥에서 보인다

자기 할 일을 다 끝내고
바닥에 떨어져 있는 낙엽을 보며
많은 생각이 든다

나는 내 할 일을 끝내지 못했는데
난 왜 바닥에 있는가

너에게 사랑을 주지 못 했는데

난 왜 바닥에 있는 걸까.

겨울이 온다

옛사랑의 상처가 아직도 남았다면
바닥에 버리거라
하늘에서 내리는 눈물이
차갑지 못해 얼어
바닥에 쌓일 테니

그렇게 감추면 된다
잊지 못할 거면
버리지 못할 거면
눈에라도 안 뛰는 게
좋지 않겠니

슬픔이 아직도 남았다면
눈 속에 파묻어라

봄이 오면 같이 녹아
사라질 테니.

나뭇가지

낙엽이 머문 나뭇가지에
흰 눈 꽃이 피었다
바람이 흩날리면 떨어질 거 같은
흔들림 한 번에 떨어질 거 같은
눈꽃

햇빛에 반사되는 겉면 얼음 덕분에
더 이뻐 보인다

봄이 지나면 사라질 눈 꽃이
바람 한 번에 흩어지는 눈 뭉치가

마치 나 같다
네 한 마디에 떨어진 나..

겨울이 열린다

마지막 계절이 열린다
비가 아닌 눈이 오는 계절

겨울

가을보다 더 외롭고 추운

겨울

마냥 반갑지는 않구나
첫눈이란 기대와
크리스마스라는 더욱 외롭게 만들어 주는
기념일이
그냥 슬프기만 하다

햇살이 따스했던 봄날에
첫눈을 보자 약속하던 넌 어디 갔고
난 왜 첫눈을 나 홀로 맞이하는 것일까

봄부터 기대하던 약속이
눈 녹듯 사라졌고
기대감은 눈물이 되어 떨어져
눈이 되었다
이 미련한 마음이 봄이 되면 녹을까
이 아픔이 눈 속에 파묻혀 보이지 않을까
이 상처가 차갑지 못해 얼어붙진 않을까

봄이란 사랑이 내게 다시 올까
아님 겨울이란 후유증이

내년의 봄이 와도 남을까.

낙엽

낙엽이 떨어졌다

낙엽 위에 눈이 덮였다

눈 위엔 내 발자국이 남겨있다

쓸쓸한 내 발자국 위에
덮일 무언가는 없어 보인다

내 눈물 외엔

걷는다

수북이 쌓인 눈 길에
외로운 발자국들

수북이 쌓인 눈 길에
외로운 한 사람

저벅저벅 앞만 보고
걷는다

눈이 오든 눈이 녹든
상관하지 않고

너를 향해 걷는다
그냥
네 얼굴 한 번 보고 싶어
걷는다.

눈물

내 눈물샘이 터진
춥지 못해 차가운 겨울날

내 눈물이 얼어
눈 결정이 되어
내 손바닥에 떨어졌다

결정은 이쁜데
만들어진 과정은 아프구나.

노을

내가 펼쳐야 보이는 사람아
이름 하나, 얼굴 하나 기억나는 사람아

동쪽 하늘에서 눈부시게 올라오는
일출처럼 만나 반가웠고
보아서 행복했다

언제 볼 수 있을지 모를 사람아
목소리 하나, 웃는 얼굴 하나
내 머리에 남겨주고 간 사람아

서쪽 하늘로 서글프게 내려가는
일몰처럼 배웅해 아쉬웠고
보내서 슬펐다.

장마

장마는 비가 오래 와서 좋다
비 냄새도 좋고
날씨가 흐린 것도
심지어 비를 맞는 것도 좋아
감기에 걸려도 괜찮은데

내 마음은 슬픔이 오래가서 싫대.

전화

네 목소리가 듣고 싶어
전화를 걸어보고 싶었다.
너에게 전화를 걸려 하면 항상 두렵다.
받지 않으면 어떡하지?
네 목소리가 아닌
자동 응답기의 목소리가 들리면 어떡하지?
하며 고민을 하다
용기를 내어 걸어본다

역시는 역시구나
정 없는 자동 응답기 목소리가 들리고
너의 전화 기록엔 빨간 내 이름이 뜨겠구나.

영월호

내 눈물 한 방울
달의 눈물 한 방울들이 모여
호수 하나가 만들어지고

내 슬픔, 내 그리움으로 만들어진 달빛에
비친 슬픈 영월호는

그저 사람들에겐
이쁜 호수로 보이겠지.

빗물

우산도 쓰지 않은 채 빗길을 걷는다

주위에 있는 나무와 건물 등이
젖는 모습을 보며 계속 걷는다.

이러면 내 눈을, 내 마음을 적신 게
눈물인지, 빗물인지 모를 테니.

가을 타나 봐

옹기종기 신나게
북적거리는 사람들 사이에 있어도
가을을 타는 것인지
너를 그리워하는 것인지
모르겠지만

따뜻한 분위기 속에서
내 마음은 차갑다.

하늘은 좋겠다

내 마음도 하늘처럼
맑음이란 날씨가 있을까

아무리 시간이 지나도
흐림이란 날씨와
장마라는 날씨밖에 없는데

내 마음에 해는 언제 뜨고
별이 보일까

하늘은 좋겠다, 좋아서.

소망

잠들기 전 기도를 해본다

그녀가 잘 잘 수 있게 해주세요
그녀가 좋은 꿈을 꿀 수 있게 해주세요
그녀가 제 꿈에 나오게 해주세요

그녀가 아침에 제일 먼저 하는 일이
제게 연락을 보내는 거였으면 좋겠어요.

날씨＝너

비가 온다
비를 맞는다
네가 온다
너를 맞이한다

하늘에 해가 떴다
밝다
나에게서 네가 떴다
어둡다.

말도 안 되는 소리

덜 사랑해야
덜 힘들다는 얘기가 있다

그럼 뭣 하러 사랑을 하려 하냐

세상에 안 힘든 게 어디 있고
덜 사랑하는 게 어디 있느냐

이유가 생겨 좋아하고
좋아해서 사랑하는 게
당연한 게 아니겠느냐.

둘 중 누가

저 멀리서 들리는 진심이 담긴 염원의 소리
저 멀리서 느껴지는 슬픔이 담긴 울음소리

분명 멀리서 들리고 느껴지는 것인데
왜 나에게서도 들리는 것일까

다 지난 일인데
이젠 주워 담을 수 없는 것인데

나는 무엇을 바라고
나는 무엇 때문에 울고 있을까

저 사람도 나와 같을까
아니면 내가 저 사람과 같은 것일까..

권태기

책장 앞에 서서
한참을 고민한다.

무엇을 읽을까
오늘은 읽지 말까

결국 한 권을 골라 읽어보니
눈물이 담긴
진심이 담긴

내겐 일기장
대중들에겐 시집
네겐 편지

이젠 누굴 위해 쓰고 있는지 잘 모르겠다.

편안할까

기억을 초기화 시키고
마음을 비워
새로운 인생을 살면
한결 편안할까
내 이름도, 네 이름도 기억하지 못하고
내가 그동안 비워내지 못한 사랑, 슬픔, 상처가
사라진다면 한결 편안해 질까
새로운 인생을 산다면
내 인생은 지금보다 찬란해 질까

너를 잊고 너를 알아보지 못하면
한결 편안할까.

나의 시

눈물을 잉크로 삼아
슬픔을 붓으로 삼아
한 글자 한 글자
내 염원이 들어있는 낡은 일기장

일기장이지만 감정만 가득 들어있는
감정 보관소
그 감성이 비로소 시가 된다.

나에게 쓰는 시

황혼 무렵 저 멀리 바라보여
걷는 중
핏빛으로 물들어 내려가는
노을을 보며 비로소
내 하루를 끝낸다.

하루를 견뎌내
수고했다.

슬픔을 견뎌내
고생했다

오늘은 아무 생각 말고 편히 자거라.

나의 감정들

보고 싶다
보고 싶었다
보고 싶을 거다

웃는 네 얼굴이 아직도 내 눈가에 아른거리고
네 목소리가 아직도 내 귓가에 맴돌아서
너를 안았던 게 아직도 느껴져서

너를 잊기엔
네가 너무 선명하다.

사랑한다
사랑했었다
사랑할 것이다

나의 취미

여우비가 살살 오는 날은
창문 한 칸 열어놓고
비 냄새를 맡으며
시집 하나 읽는다

비를 감상
책을 감상

비가 오는 날은
내 마음이 젖는다

날씨가 흐려서 그런 건지
그냥 우울해진다.

따뜻한 커피와
시집 하나 읽으면

내 마음이 따뜻해진다
내용이 아무리 슬플지라도..

네 시선

몇 년 만에 본 너
아직 옛날의 감정에 잡혀있는지
보자마자 내 심장은 요동친다.

주마등이 스쳐 가듯
옛날의 기억이 스쳐 가고

너는 아리송한 얼굴로 날 쳐다본다.
너무 빤히 쳐다보지 마라
부끄러우니.

힘든가요

힘든가요
나보다 더

힘들까요.
내 마음 보다 더

하루하루 그녈 생각하며
사는데

힘든가요
힘들까요

다시 되돌리기..

답안

예전 그 모습 그대로
예전 그 감정 그대로
돌아가긴 힘든가요

내 마음은 그때 그대로 있는데
그녀는 아닌가 봐요

이렇게 다시 못 만나고 있으니

물어보지 않아도 이미
답은 들었네.

자리

낙엽이 머문 자리에 바람이 머물다 가고

바람이 머문 자리에 눈이 머물다 가고

눈이 머물다 간 곳은 벚꽃이 머물다 가고

내 곁에 머물다 간 넌 어디론가 가고

네가 머물고 간 자리엔
추억이 머문다.

여행인 도망

그냥 멀리 혼자 어딘가 가고 싶다

어디든 좋으니
멀리

모닥불 하나 피워
멍 때리기 좋은
캠핑도 좋겠고

푸른 바다를 보며
긴 기다림이 있는
낚시도 좋겠다

말은 여행
행동은 도망인
여행.

타이밍

조급했던 건지
느긋했던 건지
타이밍을 놓쳐
너를 놓쳤다

인생과 선택은
타이밍인데

나는
인생의 선택을
잘 못했구나

너는 내 일상이었고
너는 내 세상의 전부였다.

보고 싶지 않아

내가 흘리는 눈물은 괜찮지만
그녀가 흘리는 눈물은
내 울음을 더 보챈다

울지 마라
네가 울면 내 마음이 더 아프다

빗 물아 빗 물아
눈물인지 빗 물인지 모를 만큼
그녀의 눈물을 씻겨 주렴

태양아 태양아
내가 눈물을 보지 못하게
그녀의 눈물을 말려주렴.

유서

따뜻한 온기가 머물고 간 자리
뜨거운 온기가 머물고 간 자리
쌀쌀한 온기가 머물고 간 자리
차가운 온기가 머물고 간 자리

봄, 여름, 가을, 겨울
모두 머물고 간 자리에
내 묫자리를 해주렴

그늘이 져도 좋다
잡초가 많아도 좋다

그냥,
가끔 와서 안부만 들려주고 가렴.

봄을 원하는 가을

날씨가 쌀쌀해진 탓인지
내 마음에도 가을이 온 듯하다

이유 없이 외롭고
이유 없이 무기력하다

쌀쌀해진 가을엔
따끈따끈한 어묵 국물에
소주 한잔 마시면
내 마음엔 봄이 온다.

과거로

남들이 우릴 부러워하던
그때로 돌아가면 얼마나 좋을까

남들이 연인처럼 본
그때로 돌아가면 얼마나 좋을까

만났던 기차역
같이 먹었던 점심
내가 못 뽑아준 인형
함께 봤던 영화
널 배웅했던 정류장
모든 게 그립다.

과거로 돌아간다는 것은
매우 좋은 거라 생각한다.

네가 있는 시간과 장소라면..

윤슬 2

달빛에 비친
윤슬이 오늘따라 슬퍼 보인다

햇빛이 아닌 달빛에 비쳐 그런지 몰라도

이뻐 보여야 하는 윤슬이
오늘따라 처량해 보인다.

새벽

자욱한 안개가
나를 감추고

쌀쌀한 공기가
나를 춥게 만들고

고요한 새벽이
나를 슬프게 하고

환한 달빛이
나를 위로해 준다.

봄

눈이 머물고 간 자리
벚꽃이 머물다 가겠지

눈이 머물고 간 내 마음
누가 머물고 갈지
누가 이 눈을 치워줄꼬

과연 내게 봄은 오는지.

단추

처음 만나 설레던 마음은
어디 가고
처음 만났던 때로 돌아가고 싶은
마음만 있는 걸까

첫 단추가 중요하다고
첫 만남은 매우 좋았는데
끝은 왜 이런 걸까

첫 단추를 잘 못 끼웠었나.

위로

괜찮다
괜찮을 거다
괜찮아질 것이다

시간이 해결을 못 해준다 해도
누군가 무언가가 해결해 줄 것이다.

나에게 쓰는 시 2

'이별'

참 잔인한 단어
듣기만 해도 마음이 아픈 단어
받고 싶지도 않은 단어

극복하면
성숙해지고
성장하겠지만

그 시절, 그 시간에 머물고 있으면
사람 인생이 얼마나 비참해지는지
비로소 느꼈다

시간도 해결 못 해준다면
견뎌라, 버텨라, 노력하거라
사람 한 명 때문에
사람 인생 하나가 무너지기엔

앞으로 살면서 다가올 시련에 절반도
안 되는 일이다
앞으로
얼마나 많고, 힘든 시련이 올 텐데
이별이 뭐 대수라고 이미지, 건강을 망치려
하는가

이별, 그냥 후유증만 남는 시시한 정신병일
뿐이다.

가을

춥다가도 더워지는
변덕스러운 가을

가을은 어린아이도
아닌데
변덕이 왜 이리 심한 것일까

날씨도 사람도 한결같을 순 없겠지만
적당이라는 선이 있듯이

한결같아 주라
나는 상관없지만
그녀가 불편해할 수 있으니..

나비효과

네가 일으키는 작은 바람이
내겐 태풍처럼 크게 불어온다.

너의 별생각 없는 행동이
나의 하루가 바뀌고

너의 말 한마디에
내 기분이 바뀌어.

우울증

늘 직업 특성상
우울해야 한다고
장난 식으로 말했던 내가
진짜 우울이란 늪에 빠질 준 몰랐지

늪에서 허우적 될수록
더 깊숙이 내려가고

누가 내 발목이라도 잡은 듯
여전히 나오지 못하고 있다.

2023/11/26 - ing

겉모습

내 슬픔을 빚고 빚어
달을 만들고

내 우울을 빚고 빚어
별을 만들었다

수많은 별들 속에서
빛나는 달

만든 재료가 어둡지만
보이는 모습이 이쁘면 된 거 아닌가.

변화

행복이었던 너의 목소리가
점점 슬퍼져 듣기 싫어졌다

예쁘고 밝은 목소리가
어둡게 들린다

네 위로 한마디에
모든 걱정이 사라졌지만

이젠
너의 괜찮냐는 한마디가
내 슬픔에 부채질처럼 느껴졌다

내가 떠나가겠다.
내가 나쁜 놈처럼 사라지겠다

너는 이제 내 행복이 아니라
내 불행이다.

할 일

네가 떠나간 후로
행복이란 단어가
흐려져 간다

너무 힘들게, 바쁘게 살아
행복이란 단어가 잊힌다

이젠

행복이란 무엇일까 생각하며
찾아다녀야겠다

물론 찾아다니는 것도
힘들고 바쁘겠지만.

꺼진 화로

너무 오래 좋아했나 보다
내 마음의 화로가 점점 식어간다
불을 다시 피울 장작도 없다

작게 숨 쉬는 불꽃마저
물을 부어 끄고 싶다

연기만 잔뜩 올라와
내 눈이 따갑고
앞이 보이지 않는다

내가 나가는 게 빠르겠다

꺼진 화로는 누군가 와서
피워 주겠지.

사라짐

나의 진심이 한순간에 사라졌다

나의 마음이 한순간에 조각나 버렸다

나의 꿈이 연기처럼 날아갔다

나의 사랑이
다가가지도 못했던 사랑이
멀어졌다.

불면증

해가 떨어진 줄도 모른 채
네 생각만 하다
밤이 찾아오고
너에게 다가갈까 말까 하다
새벽이 찾아온다

쌀쌀하고 쓸쓸한 새벽에
자는지 물어본다

대답이 없는걸 보니
너는 자고 있나 보다
나는 너 때문에
잠에 들지도 못하는데.

깨달음

몰랐었는데
알 것도 같다

이유를 되새기고 되새기다 보니
내가 보지 못한 관점이
점점 생기더구나

나는 달을 볼 때
넌 나를 보고 있고
내가 앞을 볼 때
넌 내 뒷모습만 보았구나.

시점

내가 달을 볼 때
너는 별을 보고

내가 숲을 볼 때
너는 나무를 보고

내가 바다를 볼 때
너는 물고기를 보고 있었다

이 정도로 우리는 다르다
이제 인정하자
우린 아니란 것을
관점 자체가 다르다는 것을.

취미가 직업으로

따뜻한 햇살이 커튼 사이로 비치고
편안한 흔들의자에 몸을 기대어
손바닥만 한 시집 한 권 읽다
졸릴 무렵 커피 한잔 마시고
다시 의자에 기대어
책을 읽는다

생각이 많을 땐 머리를 비우는 것보단
다른 생각으로 채워지는 게 좋다 생각해
옛날부터 생긴 내 취미 생활
네가 만들어 준 취미 생활

글자 하나하나가 내 마음을 흔들고
단어 하나하나가 내 눈물샘을 건들지만

이만큼 건전한 취미가 어디 있겠는가

비록 취미가 직업이 됐지만..

사랑, 사람

길거리에 널려있는 꽃들이
마냥 이뻐 보이진 않는다

사랑처럼 보면 이쁘지만
저 꽃들도 언젠가 저물겠지

평생 영원토록 가는 건
아무것도 없더라

사랑도 사람도.

말거라, 말하거라

잘 지내라고 하지 말거라
잘 지내자 라고 말하거라

고마웠다고 하지 말거라
고맙다고 말하거라

글자 하나가 우릴 갈라놓을 수 있고
붙여 놓을 수 있다는 것을 알고 있으 거라

네가 말하는 과거형은 몹시 싫구나.

샘물

봄날의 내 마음 샘은
물이 가득 찼고

여름날의 내 마음 샘은
메말라 갔고

가을날의 내 마음 샘은
낙엽에 덮였고

겨울날의 내 마음 샘은
얼었다

봄에 가득 찼던 샘물이
계절이 지나갈 때마다
사라져 같다.

모름

비가 떨어지듯 오는 날
우산 없이 저벅저벅 걷는 나

감기가 걸려도 좋다
옷이 젖어도 좋다
내가 우는 것을 모르기만 하면 된다

모래성

너의 상처가 아물고
새로운 살이 돋아
단단해지고 차가워졌다

그렇게 단단한 줄 알았던 내 마음이

네 연락 하나에 모든 게 무너졌다

다시 돌아보지 않으려 애를 썼고
다시 흔들리지 않으려 다짐했지만
감정은 머리와 같지 않더구나

너의 뜬금없는 연락에 잠이 깨었고
오랜만에 본 네 얼굴에 심장이 뛰었다

뇌는 속여도 마음을 속일 순 없더구나.

봄이란 계절

상처가 많은 나를
상처 땜에 얼어붙은 내 마음을
사랑의 온기로 녹여주던 너

네 사랑의 온기 덕분에
내게도 봄이란 계절이 왔다

아직 겨울이지만
마음만은 봄.

사계절

모든 계절이 나를 깎았다

봄은 나의 기대를 꺾었고

여름은 나를 말렸고

가을은 나를 외롭게 만들었고

겨울은 나를 춥게 만들었다

계절마다 깎인 내 마음이
내년에도 깎일까
더 이상 깎일 것도 없을 거 같은데...

이슬

창문에 맺힌 이슬 한 방울이

동틀 녘 잔디에 맺힌 이슬 한 방울이

내 눈가에도 맺혔다
이젠 그만 울 때도 됐지만
어찌할 수 있겠나
눈물과 기침은 숨길 수 없는데 말이지.

멍청이

네 얼굴을 보자 내 마음이
붕 뜬 건지
아님
바닥으로 푹 꺼진 건지

심장이 아프듯 속이 아프다

나를 뒤도 돌아보지 않은 채
떠난 너인데
내가 멍청한 것인지
너를 볼 때마다 이런다

참 미련하다.

한 해

'2023년'
한 해 동안
빛 한 줄기도 보이지 않았다
신이 나를 버린 듯이
나의 소원은 이루어지지 않았고
사람들이 나를 버린 듯이
외로움을 많이 탔고
아홉수 때문인지
내게 안 좋은 일만 일어났다

'2024년'
내년에는 저 상황들이 모두
반대로 일어났으면 좋겠다

'2023년'
1년 동안 너를 찾아 헤맸고
1년 동안 너를 쓰고 나를 썼다

일기장 같은 시가

일기장 같은 에세이가
나의 꿈에 한 발자국 내미는
발판이 되었으면 좋겠다.

버킷리스트

내가 만약 당장 죽어
귀신이 된다면
성불은 물 건너 갔다

2023년 동안 이루지 못한 게
이루어지지 않았던 사랑이
몹시 한이 되었다

시작도 못 했던 사랑이
시작은 못 했지만 건네본 사랑이
이리 한이 될 줄이야

지금 그녀가 다시 와도
아물지 않는 상처 때문에
이미 지나버린 과거이기에
받을 수 없는 이유가 생겨
한은 풀지 못하겠다

새로운 2024년엔

새로운 사람을 만나
새로운 경험을 쌓아

생각이 나지 않을 만큼
행복해져 보자
나의 첫 번째
버킷리스트.

나에게 쓰는 편지

5년이란 시간 동안 했던 것을
그만두고 무엇을 할까 막막했다

할 줄 아는 것이라곤
책 읽기와 운동밖에 없었거든

다행이라 생각해야 될까
너에게 상처를 입고
그 상처를 글로 털어내곤 했다

아픔을 버릴 수 있는 유일한 수단이
본업으로 바뀔 줄 누가 알았겠나

내용을 슬프지만
나는 슬픔을 내 감정을
쓰는 게 너무 행복했다

남들은 그냥
아픈 곳에 소금 뿌리기로 봤겠지만

그 소금이 내게 약이 될 준 나도 몰랐지

고맙다 나의 유일한 치료법을 알려주어서
나의 다른 길을 열어 주어서

이 글을 쓰고 있는 지금도
고맙게 생각한다

어둠만 있던 나의 미래에
한 줄기의 빛을 만들어 주어서.

후회

누군가를 좋아했던 게
과연 후회로 남을까

정녕 본 모습을 보지 못했단 한들
어떤 행동에 호감을 가졌고
어떤 점에 좋아했던

지금은 끝난 관계여도
그 순간만큼의 감정이
진심이었으면 된 거 아닐까

그럼 후회도
흑역사로도 안 남지 않을까.

알았다

눈이 내려 겨울이 왔다는 것을 알았다

달이 떠 밤이 왔다는 것을 알았다

눈물이 흘러 이별이 왔다는 것을 알았다.

생각 없이

아무 생각 없이 구름을 보고
아무 생각 없이 불을 보고
아무 생각 없이 지나가는 사람들을 본다

생각이 어디 갔는지
알고 싶지 않다

그냥
아무 생각 없는 지금 이 순간을
즐기고 싶다.

부재중

받지 않는 전화에
나는 더 슬퍼진다

사정이 있어 못 받는 건지
아님
그냥 받지 않는 것인지

의미 없는 연결음이
슬픔을 보채고

난 스스로 상처를 남기고
넌 다시 누르지 않을
부재중이 떠 있겠구나.

고민

비가 내리는 건지 안 내리는 건지
우산을 챙길까 말까
밖을 나갈까 말까
너에게 있는 곳으로 가
우연인 척 만날까 말까

오늘따라 선택을 못 한다
내 마음이 혼란해서 일까.

낙원

지상에서 천상의 낙원으로
갈 수 있다면 얼마나 좋을까

네가 없는 곳이긴 하지만
내 걱정과 고민은 너로부터 나오기에
이젠 사랑이 아니라 고통이기에
천상의 낙원으로 가고 싶다.

직업 힐링

아무 생각 없이 바다에 와
고요하고 아늑한 카페에 앉아

너를 생각하며 글을 쓴다

무슨 바다까지 와서 글을 쓰냐 하겠지만

글을 쓰고 싶어
힐링을 하고 싶어

계획 없이 온 것이다

이것이 지상낙원인 것인가

바다, 카페, 책
내가 좋아하는 것이 이곳에 다 있으니
이것이 정녕 지상낙원 아니겠는가.

바다 여행

문득 바다가 보고 싶어
계획 없이 왔다

일렁이는 파도
자유롭게 날아다니는 새들

모래를 가지고 노는 아기들

해변가를 걷고 있는 사람들 속에
나만 외롭게 홀로 걷고 바다를 본다

거치지만 잔잔한 파도처럼
네가 내게 왔으면 좋겠다
그럼 안 밀리고 안아줄 자신 있는데
나는 파도를 맞을 준비
너를 맞이할 준비가 되었는데
바람이 불지 않아서인지
파도도 치지 않고
나만 지쳐간다.

사라지다

가끔 죽고 싶다기보단
먼지처럼 연기처럼
사라지고 싶다

아무도 날 볼 수 없고
찾지도 말고
나만의 시간을 가지고 싶다는 생각에
이리 도망쳐 왔다

기껏 온 곳이라곤 바다이지만
저 파도는
저 바람은
계속 내게 불어온다
내가 가만히 있어도
내게 불어오는 바람이랑 파도가
마냥 반갑기만 하다.

날씨

흐리고 흐린 날씨
어둡고 어두운 구름 사이에
한 줄기 햇빛

그 한 줄기 햇빛처럼
내게도 빛 한 줄기만
생겼으면 좋겠다

그럼 희망이라도 가질 텐데.

바다

겉모습은 거치지만
더 깊은 곳을 바라보면
잔잔한 호수 같은 바다가
마치 내가 보는 너다

겉으론 아닌 척 싫은척하며
결국 수긍하는 고집 꾸러기 같은 모습이
마냥 귀엽기만 하다

마음 깊숙이
머리 깊숙이
털어내지 못하는 진심을 듣고 싶다
나직이 울리는 네 진심에 상처를 입어도 되니
한 번만 들어보고 싶다.

정답

내가 할 만큼 했다 생각했다면
그게 정답이다

정답은 본인만 알고 있는 것이다

지나간 인연이 상처를 주고
다시 내게 불어오면 가만히 있어라
우린 할 만큼 했었으니

오면 곁에 두고
가면 떠나보내라

그것이 정답이다.

해변 2

해변 모래 위에 남겨진
외로운 내 발자국이
파도 한 번에 사라졌다

인생도 그런 거 같다

결국엔 사라질 거
너무 연연하지 말거라
언젠가 지워질 거고
더 성장하는 발판일 뿐이다

그러니 사람 한 명에게 너무 연연하지 말거라
나처럼..

내년

1년이란 시간 동안 너를 쓰고 지웠다
내 감정은 심연보다 깊고
신에게 기도할 때보다 진심이었다

하지만 아직 내 실력으로는
글로 표현할 수 없다는 게
답답했다

더 많이 배우고 익혀 나직이 울리는 내 마음을
글로 포장해 시에게 선물하겠다
기다리거라 내년아.

바다 2

바다에 와 하루 종일 책을 읽고
글을 쓴다

이만큼의 나의 힐링은 없다

햇빛에 비춰 이쁜 윤슬과
잔잔하고 따스한 카페에 앉아
맛있는 커피 한 잔에
시집 한 권

이만큼의 지상낙원이 있을까
감히 말하면 네가 없어도 될 만큼
편안하다.

너=꽃

예쁜 꽃을 보면 네가 생각난다

분홍빛 흩날리는 꽃이
내 마음 같기도
너를 보는 내 시점 같기도 하다

하얀 눈꽃이 녹고
분홍 벚꽃이 피어난 봄
그 시절의 우리
분홍빛이 찬란할 줄 알았다

나는 그저 봄을 원했을 뿐
겨울을 원하지 않았다.

나 혼자 살기

내가 나를 믿고
내가 나를 키우자

이미 많은 사람들에게 상처를 입었고
그 상처는 아물기는커녕
더 깊어만 간다

우정, 사랑의 관계에서
받은 상처가 나를 심연으로 빠뜨려
관계라는 허무한 것이
나의 발목에 감겨
나오지도 움직이지도 못했다

이젠 현생을 받아들여
관계라는 줄기를 내 손으로 끊어내
지상으로 나와 세상에 나가 보자
모든 게 부정적으로 보이고
나 자신은 어둑한 구름이 낀듯
한없이 어두워 보여도

나 자신만 믿는 것이다

이젠 누굴 따라야 하고
누굴 믿어야 하는지 혼동이 와도
처음으로 돌아가
모든 게 달라지겠지 하며
나 스스로 새로운 인생을 찾자

사랑이란 부질없는 감정을 버려
더 가볍게 살아보자
관계라는 단어에 얽매이지 않고
더 가볍게 살아보자.

3부

짝
사
랑

짝사랑

"좋아한다."
몇 년 동안 내 마음은
널 향해 있었다

네 걱정에 연락을 보내고
네 생각이 나서 연락을 보냈다

늘 내가 먼저 연락을 보내고
늘 내가 먼저 걱정해 줬다

하지만 넌 날 좋아하지 않는 거 같다.

내 질문에 네 답만 있는 대화방이
왜 답장이 없는 것보다 못한 거 같을까

아니다
답장이라도 해주는 거에 만족해야 하는 걸까

너란 사람 참 밉다.

걱정

오늘도 따뜻하게
입었을까

밥은 제대로 챙겨 먹고 있을까

어디 다치진 않았을까

집은 잘 들어갔을까

내 하루는 온통 네 생각뿐이다

하지만 넌 나와 반대인가 보다

내가 연락을 해도 답만 있었고
내게 묻는 질문은 볼 수 없었다

그래도 난 널 계속 좋아할 거다

그것이 너에 대한 내 진심이란 걸
보여주고 싶으니.

계속

힘들면 포기하면 되지
모르면 포기하면 되지
가능성이 없음 포기하면 되지

나도 안다
포기하면 편할 거란 걸
하지만
너무 좋아해서, 포기하는 게
더 후회스러울 거 같아

계속 좋아할란다.

아침에 보내는 연락은 사랑

너와 가까이 있고 싶지만
네 곁에서 챙겨주고 싶지만
그럴 수 없어
연락만 보낸다

천성이 게으른
난 꼬박꼬박 할 수 있는 게 없는데
너에겐 아침마다 꼬박꼬박
연락을 보낸다

몸은 멀리 있지만
마음만은
네 곁에 있고
있고 싶어 한다는 것을
알아 주거라.

포기하는 이유

내게 너무 과분한 사람이라
내 곁에 있기엔 너무 좋은 사람이라
내가 사랑하기엔 너무 사랑스러운 사람이라
내가 원하는 사람이라

내가 좋아하는 이유가
이루어지지 않는 이유다

하나 장담할 수 있는 건
그 누구보다 널 사랑할 수 있다.

이유

너를 좋아했다

웃는 모습이 이뻐
성숙한 모습이 멋져
나에게 힘이 돼 주어서
좋아했다

세월이 흘러 느낀 건

이젠 널
사랑한다

사랑하는 덴 이유가 없고
이유가 필요할까

그냥 너라서 사랑하는 거 같다.

떠나가겠다

멀리서 보겠다
조용히 보겠다
그것만 허락해 주거라

절대 티 내지도
절대 표현하지도 않겠다

그냥
널 볼 수 있게만 해주렴
그럼 내가 알아서
떠나가겠다.

해탈

영혼 없는 네 표정
성의 없는 네 대답에
나는 점점 희망을 잃어갔다

무뚝뚝해도 밝은 면이 있었고
대답이 없어도 말을 걸고 싶었지만
나도 이제 지쳐간다

이 부질없는 사랑을 끝내려면
어찌해야 하는가

포기는 하기 싫고
도전하기도 싫다

그냥.
네가 차 줬으면 하네.

내 친구이자 오랜 짝사랑에게

오랜만이다.
친구이자 내 오랜 짝사랑아

안 본 사이에 많이 성숙해져
낯설었다

왜 이렇게 많이 변한 것이냐
나만 아직 그 시절에
나만 아직 그 감정에
머물러 있는 걸까

조금만 기다려 주거라
내가 더 많이 성장해서
더 성숙해져서 찾아가겠다

그때 동안 잘 지내거라.

계단

나의 짝사랑은
끝을 모르는 계단이었다.

처음에 용기 있게 올라가 본다.
목적지는 보이지 않고
지치기만 했다

하지만 성공이라는 도착지가 있을 거라는
헛된 희망을 품고 다시 올라간다.

올라가며 생각을 해본다
성공은 있는 걸까
감정만 낭비되는 게 아닐까
하며 포기하게 된다

짝사랑, 참 힘든 사랑이다.

보이지 않아도

저 하늘 높이 반짝이는 별들과 있는 너
저 심연 깊이 어둑한 어둠과 같이 있는 나

나는 널 보고 있지만
너는 날 보고 있지 않구나

멀리 있어도
보이지 않아도
내 마음은 네 곁에 있고
난 늘 네 생각뿐이란 걸
알고 있어 주렴.

말이 씨가 될까

외롭다는 말에 진짜 외롭고
힘들다는 말에 진짜 힘들다

인생은 말하는 대로
생각하는 데로 된다는 게
비로소 깨달았지만

너를 이리 좋아하는데
너는 왜 말하는 대로
안 되는 것이냐.

확신

심연 속 나직이 울리는 소리
적막한 공기 속 퍼지는 진심
빛나는 달에게 향하는 기도

봄, 여름, 가을, 겨울

사계절 내내 한곳만 바라보고 있는
내 마음

이루어지지 않을 걸 알면서도
닿지 않는 마음인 걸 알면서도
미련하게 꾸준하게
너에게 가고 있는 내 마음

험한 길이란 걸 누구보다 잘 알지만
아무리 험한 길이어도
길 끝에 네가 있기에
난 계속 걷는다.

준비물

누군가를 좋아한다는 것은
아주 큰 용기와 책임이 주어진다

상대에게 표현할 수 있는 용기
꾸준히 좋아할 수 있는 책임감

나는 다 준비가 돼 있었는데

넌 거절할 준비만 돼 있었구나.

멀리서

푸른 산을 보려면 멀리서 보아야 하고
파란 바다를 보려면 멀리서 보아야 하고
좋아하는 널 보려면 멀리서 보아야 한다

이쁜 것을 보려면 왜 멀리서 보아야 할까
가까이 가면 왜 그 모습이 보이지 않는 걸까

결국 또 멀리서 보다 끝내야겠구나.

무응답

어떤 말을 해야 할지 몰라
계속 기다리고
고민했다

오늘이 지나면 평생 하지 못할 거라는 생각에
너무 이른 고백을
너에게 하기로 결심한다

답은 없어도 된다
그냥 내가 그런 마음을
가지고 있다는 것을 알아주기만 하거라

때론 무응답이 덜 슬프다는 걸 알거든..

궁금증

아침에 맑게 올라오는 일출처럼
일어나면 네 생각이 나고

황혼 무렵 붉게 내려가는 일몰처럼
잠들기 전 네 생각 난다

내 일상은 온통 네 생각인데

너는 조금이라도 내 생각을 하고 있을까?

너에게 전하는 말

이거 하나는 말할 수 있다
너에게 향하고 있는
이 마음은
진심이다

너는 장난처럼 보이겠지만
너로 쓴 글이 이리 많은데
어찌 이 마음이 장난이겠냐.

걱정 2

매일 아침마다 너에게 문자를 남긴다
"오늘 춥다."
"오늘 비 온다."
온갖 걱정거리를 만들어
너에게 전한다

돌아오는 답장은
대답밖에 없지만
되돌아오는 걱정은 없지만
이렇게라도 너의 연락이 오면
나는 만족한다

따뜻이 입어라
걱정되니.

침묵

"침묵"
때로는 좋은 선택일 수 있겠지만
타이밍을 놓치면 거짓말이 될 수 있다

나의 질문엔
예, 아니요. 만 있을 건데

너의 대답은 침묵인 걸까

"침묵"
이럴 땐 침묵이 대답이 되는구나.

잔소리

날씨가 추워지니
따뜻하게 입어라

해가 짧아지니
어서 들어가라

내가 너를 좋아하니
알아주라.

밀려오는 파도

밀려오는 파도에 밀리지 않았지만
다시 밀려오는 너에겐 밀렸다

보면 마냥 좋던 네 얼굴이
이젠 내 마음이 괴롭고

오는 연락에 강아지처럼 좋아했지만
이젠 내 마음이 흔들리다 못해 무너진다

이젠
사랑이 아니라 고통인가 보다.

작은 욕망

매일 아침마다
너에게 걱정을 하고

매일 아침마다
네 생각으로 하루를 시작하고
매일 아침마다
네게 연락을 보낸다

돌아오는 걱정
돌아오는 생각
돌아오는 답장은 없었지만

나의 그릇을 알기에
더는 욕심이란 걸 알기에

이렇게라도
네게 연락을 하는
그것으로 만족하기로 한다.

바닷물

저 멀리 있던 바닷물이
어느새 내 쪽에 가까워졌다

저 많은 물들도 내게 오는데
너는 내게 오질 않는 것일까

거친 파도도 내게 오는데
마냥 사랑스럽게 보이는 넌
왜 오지 않는 것이냐.

정신승리

오늘도 너의 연락을 기다린다

아침에 보냈던 연락이
과연 오늘 안에는 볼까
늦어도 내일쯤엔 오지 않을까

바빠서 못 보는 거겠지
볼 시간이 없어서 그런 거겠지
괜히 정신승리를 하는 내가
너무 비참하다

그냥, 상대에 있어 나는
아무것도 아닌 것뿐인데
나 혼자 그러는 거 일뿐인데
다 알면서도
괜히 마음이 초라해져
이 기분 나쁜 마음은
언제 겪어도 익숙하지 않아.

파도

잔잔하면서 때론 거친 파도가
내 마음과 같구나

너의 한마디에 지진이 나고
바람이 불듯 내 옆을 지나가면
마음이 흔들린다.

목소리

매일 눈으로만 보는 너의 말을
이젠 귀로 듣고 싶다

네 목소리, 네 말투 하나하나
귀로 듣고 싶다

그냥,
작은 내 욕심이다.

방관

멀리 있어야
볼 수 있다

말을 안 걸어야
말을 들을 수 있다

무표정으로 있어야
웃는 걸 볼 수 있다

내가 안 가야
가까워진다

그렇게 나는 가만히
있어야 하나 보다.

숨김

기침처럼 널 좋아하는 마음을 숨길 순 없더라
숨길 수 없어서 티를 냈지만

내 표현이 너에겐 부담이 된 것인지 모르겠지만
나는 분명 당겼는데
왜 너는 밀려나는 것이냐

우리 사이에 무엇이 있길래 좁혀지지 않는 것이냐
내가 한 걸음 가면 넌 뒤로 한 걸음 가고
내가 올라가면 넌 내려가고

신의 장난인지
아니면 그럴 운명인지

나는 아직도 모르겠다.

기다림

얕은 마음
순간의 감정이 절대 아니다

너를 향한 내 마음은
저 깊은 심연 속 보다 깊고
찰나가 영원이 될 수 있다지만
난 찰나의 순간이 아니다

그러니

몇 달이 걸린다 해도
1년이 걸린다 해도

너 하나만 바라보고 있겠다
긴 기다림 끝엔 보상이 있을 거니.

파도에 밀려

파도에 밀려 너에게 다가갔다
헌데 너도 왜 밀려나는 것이냐
나는 밀지도 않고 당기지도 않았는데
왜 움직이고 그러는 것이냐

말을 해주거라
상처 되는 말이어도 좋으니
네 진심을 알려주거라
그럼 편안해질 것이니.

감사

늘 생각 줘서 고맙다는
말을 들은 적이 있다

내 답변은
생각하게 해주어서 고맙다고 했다.

당연한 거다
좋아하면, 사랑하면 그 사람만 생각나고
걱정되는 게 당연한 거지

하지만 왜 내 마음은 받아주질 않는 걸까

역시 나는 네게 친구 그 이상 그 이하도
아니었던 걸까

고맙다 생각하게 해주어서.

한 걸음

내가 먼저 하지 않으면 오질 않고
가끔가다 먼저 와
받아 주려 하면
다시 뒤로 간다

넌 무엇을 생각하고
어떤 마음인지

왜 나와 모든 게 반대인지

신에게 물어보면 답을 알려줄까..

수많은 것 중에

수많은 사람 속에
수많은 우연 속에
운명이 아니면 만나지 못했겠지

나만 멀리서 바라보기만 했으니
우린 운명이 아니었나 보다

그냥 수많은 사람 속에
수많은 별 하나가 보였던 것처럼
너도 그런 거였나 보다.

너는 알고 있을까

아침에 하는 연락은 사랑이란 걸
너는 알까

내 잠을 깨는데도 힘든데
굳이 오늘의 날씨를 알려주고
따뜻하게 입으라고
걱정하는 이유를 너는 알고 있을까

맑은 하늘을
이쁜 보름달을
굳이 굳이 너에게 보내는 이유를
너는 알까
이쁜 걸 보면 너에게 보내고 싶은
내 마음을 너는 알고 있을까.

나직이 울리는 내 마음

내 마음을 한 번만 알아주세요
나직이 울리는 내 마음을
한 번만 들어주세요.

겨울보다 춥고
얼음보다 차가운
당신에게

섣불리 보여줄 수 없는
내 마음

따뜻했던 마음이
당신의 거절에 얼어버리면
누가 와서 녹여 줍니까...

떠나가겠다 2

비가 오는 어느 날에
내 눈물샘이 마르는 어느 날에
조용히 떠나가겠다

마음이 너무 아파
울어야 겨우 진정되는
이 고통을 안고 가고 싶지만
내 눈물샘이 마르면
울고 싶어도 울 수 없기에

비가 내 눈물이 되는 날에

나 홀로 조용히 떠나가겠다.

너를 안 순간부터
단 한 번도 후회한 적이 없었다
행복, 슬픔, 사랑, 아픔이란
감정을 네 덕에 알아 고마웠다

꿈이란 것도 없던 내게
네가 떠나간 뒤로
꿈이 생기고 목표가 생겨
이렇게 책도 만들게 되었다

고마웠다
내 인생에 나타나 줘서.

네 덕분에 쓴 시

발　행 | 2024년 01월 16일
저　자 | 서기
펴낸이 | 한건희
펴낸곳 | 주식회사 부크크
출판사등록 | 2014.07.15.(제2014-16호)
주　소 | 서울특별시 금천구 가산디지털1로 119
SK트윈타워 A동 305호
전　화 | 1670-8316
이메일 | info@bookk.co.kr

ISBN | 979-11-410-6686-4

www.bookk.co.kr
ⓒ 서기 2024
본 책은 저작자의 지적 재산으로서 무단 전재와 복제를
금합니다.